To Dora

Harvey Rowan

1997

Como Crear Decoraciones Culinarias

Harvey Rosen
Robert J. Rosen, Editor

Instrucciones Ilustradas
Paso a paso

Dedicatoria

A las mujeres de mi vida
• Vicky • Rebecca Anne •

Edición Revisada

Publicado por
International Culinary Consultants
P.O. Box 2202
Elberon, New Jersey 07740 USA

ISBN 0-939763-05-2

International Culinary Consultants

Chef Harvey Rosen, G. M.
Chef Robert J. Rosen
Chef Jonathan S. Rosen
Chef Laurence M. Rosen

Agradecimiento Especial A:

Sergio e Itze Lebrija
&
Sebastian y Betty Safiano

El grupo de International Culinary Consultants es reconocido mundialmente por sus publicaciones y su experiencia en la presentación de comida fina. Se han entrevistado a través de programas nacionales de televisión y en programas locales con sus famosas presentaciones en el arte culinario.

Nuestro grupo se dedica a la promoción de "garde-manger" por todo el mundo. Comuníquese con nuestras oficinas y permítanos contestar cualquier pregunta que usted tenga.

Keiffier V. Adkins
Director de Arte/Artista

Jeff Martin/*Photographic Assoc.*

FOTOGRAFIAS

INDICE

Múltiples Adornos de Vegetales

Estimado Amante de la Buena Cocina:

Este libro es una experiencia en adornos culinarios. En su próxima fiesta, usted puede impresionar a sus amistades con sus descubrimientos culinarios. Sus invitados no solamente disfrutarán de su excelente comida sino también apreciarán su habilidad artística.

El éxito de su buen cocinar y de sus adornos originales, lo motivarán a continuar las creaciones que tanto han halagado sus invitados.

Disfrute de su nueva habilidad artística. Cuando usted combine las enseñanzas que le dará este libro con la rica comida que usted siempre ha servido, usted presentara platos de comida que lucirán tan buenos como su mismo sabor. Y, no se olvide, lo que agrada a la vista, agrada al paladar.

Harvey Rosen   **Laurence Rosen**

P.D. Una nota al principiante:

Si esta es la primera vez que usted intenta el arte de "garde-manger", (literalmente en francés significa "despensa", y es el nombre culinario aceptado para indicar el arte culinario), deberá tener presente unas pocas sugerencias antes de intentar sus primeras decoraciones:

TENGA PACIENCIA!

Tome todo el tiempo necesario. Trabaje cuidadosamente y despacio. Siga las instrucciones al pie de la letra y así también usted podrá duplicar todas mis creaciones y centros de mesa. Aunque este libro da las instrucciones paso-a-paso, usted puede variarlas. Lo importante es ser creativo!

Sea decidido y experimente con sus propias técnicas. Usted puede llegar a desarrollar sus propias decoraciones. Si así es, tal vez quiera compartir sus creaciones conmigo y los demás, le invito que se comunique conmigo y mis lectores.

Sugerencias Al Decorar

Mientras sigue las instrucciones para las decoraciones de comida, ponga mucha atención a las sugerencias que se incluyen. En algunos casos, estas sugerencias pueden hacer la diferencia entre éxito o fracaso en sus adornos.

Las siguientes son algunas sugerencias que le pueden ayudar en su trabajo de "garde-manger".

● Muchos de los adornos necesitan remojarse en agua fría.
El agua fría permite que los vegetales se pongan rígidos y que las rebanadas se separen y se ricen.

● **Algunas creaciones necesitan que los vegetales estén flexibles para poder doblarlos y rizarlos sin que se rompan.**
Esto se puede conseguir remojando las rebanadas en una solución de agua salada (dos cucharaditas de sal en un cuartillo de agua) hasta que consiga la flexibilidad necesaria.

● **Cubra la fruta y los vegetales con gelatina clara para preservarlas y hacerlas brillar.**

● **El jugo de limón tiene una variedad de usos.**
Se puede usar para prevenir que una rebanada de manzana se oscurezca y también para quitar el olor de la cebolla de las manos.
Cubrir las frutas y vegetals con el jugo de limón ayuda a preservarlas.
Si no tiene jugo de limón, machaque dos pastillas de vitamina C en un recipiente de agua y cubra sus adornos con ella.

● **Para preservar sus creaciones por un tiempo largo, remójelas en agua y guárdelas en el congelador.**
Las creaciones guardadas en el congelador se mantendrán frescas por 8 a 10 meses. Esta es una manera conveniente para mantener sus creaciones a la mano cuando las necesite.

- La mayoría de las creaciones se pueden hacer de antemano. Esto es muy útil ya que su tiempo es muy limitado el día de su fiesta y por lo general no tiene tiempo para hacer sus decoraciones con la calma que se requiere para formarlas bien. Siempre guarde creaciones hechas de betabel, zanahoria, nabo, rábano, cebolla, pimentón, y apio en agua fría.

Las decoraciones hechas de pepino, berenjena, tomate, frutas cítricas, melones y manzanas se conservan bien en la nevera. (Las manzanas deben ser cubiertas con jugo de limón.) Cuando haga diseños de sandía, conserve la fruta que use para la ensalada en un contenedor que esté bien sellado. El casco de la sandía se puede conservar llenándolo de hielo y tapándolo con la misma corteza. (Coloque la sandía en la nevera.) Si por alguna razón no puede usar la corteza, simplemente envuelva la sandía con plástico y métala en la nevera.

- **Siempre debe usar el equipo y los utensilios necesarios para cada diseño.**
  Asegúrese que los cuchillos tengan suficiente filo y estén completamente limpios. Para asegurar su manejo, guarde sus utensilios cortantes con tapadera de cartón.

- **Remoje la cebolla o el cebollín en agua caliente de limón por cinco minutos para quitarle el olor. Después remójela en agua fría.**

- **Palillos de dientes y palitos de madera son elementos esenciales para las creaciones "garde-manger".**
  Se usan constantemente para adjuntar secciones de comida unas a otras.

- **La misma cinta adhesiva que se usa para arreglos florales puede usarse para segurar y sostener vegetales.**

- **Al presentar algunas creaciones, se puede usar una papa (patata) como base.**
  Coloque la papa (patata) sobre una hoja de lechuga (o repollo rojo) y asegure la decoración con palillos.

- **Para dar a sus adornos un toque artístico, puede agregar objetos artificiales (ojos de plástico, hojas de color, etc.). Use lo artificial sólo para realzar su adorno, no para dominarlo.**

- **Use colorante de alimentos para crear variedad de colores en los adornos.**
  La mejor manera de hacerlo, es mezclando el color en agua en un recipiente pequeño e introduciendo el adorno adentro del agua para colorearlo. Sacuda el exceso de agua. Para obtener un color más oscuro remoje el adorno en la solución por un poco más de tiempo.

- **Arregle sus platos de vegetales y quesos con una cama de vegetals, como lechuga, achiceria y escarola.**
  Recuerde que es muy importante la simetría al colocar sus adornos en el plato. Puede colocar uno de los adornos grandes en el centro y los pequeños alrededor, o use solamente adornos pequeños. No llene el plato demasiado. Es mejor hacer dos o tres platos con los alimentos mejor colocados.

- **Determine la madurez de la sandía por su color.**
  Un color amarillento en la base es el mejor signo de maduréz, no importa lo verde del resto. Golpear un melón para conocer su maduréz es equivocado.

- **Las zanahorias, remolachas (betabeles) y nabos son los vegetales que más se usan para adornos, pero hay que tener especial cuidado con ellos.**
  Escoja las que estén más gruesas y duras y trabaje con ellas a una temperatura ambiente.
  Los vegetales fríos, especialmente las zanahorias, se rompen fácilmente.

- **Seleccione frutas y vegetales que realcen mejor el adorno a realizar.**
  Cebollas largas y esbeltas producen mejores flores que las cortas; cebollines grandes producen mejores adornos; las zanahorias gruesas son más fáciles de trabajar. Por lo general, las frutas y vegetales deben de ser de tamaño uniforme y sin manchas.
  Las frutas deben estar maduras y los vegetales frescos y con buen color.
  Lave los vegetals y séquelas antes de tallarlas. Otro punto muy importante....nunca las congele antes de usarlas.

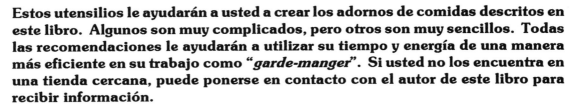

Equipo "Gourmet"

Estos utensilios le ayudarán a usted a crear los adornos de comidas descritos en este libro. Algunos son muy complicados, pero otros son muy sencillos. Todas las recomendaciones le ayudarán a utilizar su tiempo y energía de una manera más eficiente en su trabajo como *"garde-manger"*. Si usted no los encuentra en una tienda cercana, puede ponerse en contacto con el autor de este libro para recibir información.

Cortador de Canapé
Corte Para Cuatro
Plástico de Alto Impacto

(Vea Foto Página 39)

 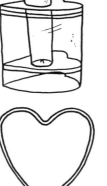 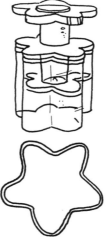

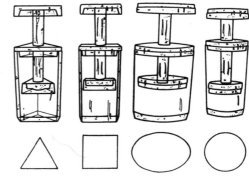

Cortador de Canapé
Corte Para Cuatro - Acrílico

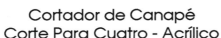

Cortador de Canapé
Corte Para Cuatro - Acrílico

Juego de Tenedor y Cuchillo Cortador
(En Caja de Regalo)

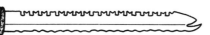

Cuchillo para Comida Congelada

Juego de Cuchillos para Carne

Pelador de Vegetales

Utensilio Ondulado para Adornos

Cortador en Espiral

Decorador "V" de Comida

Cuchillito de Recorte

Doble Molde Para
Huevos Cuadrados

(Vea Foto Página 39)

Cortador -
Gemelo Espiral

(Vea Foto Páginas 35 & 45)

Molde Sencillo Para
Cuadrar Huevos

Freidor para Nido
de Ave

(Vea Foto Página 38)

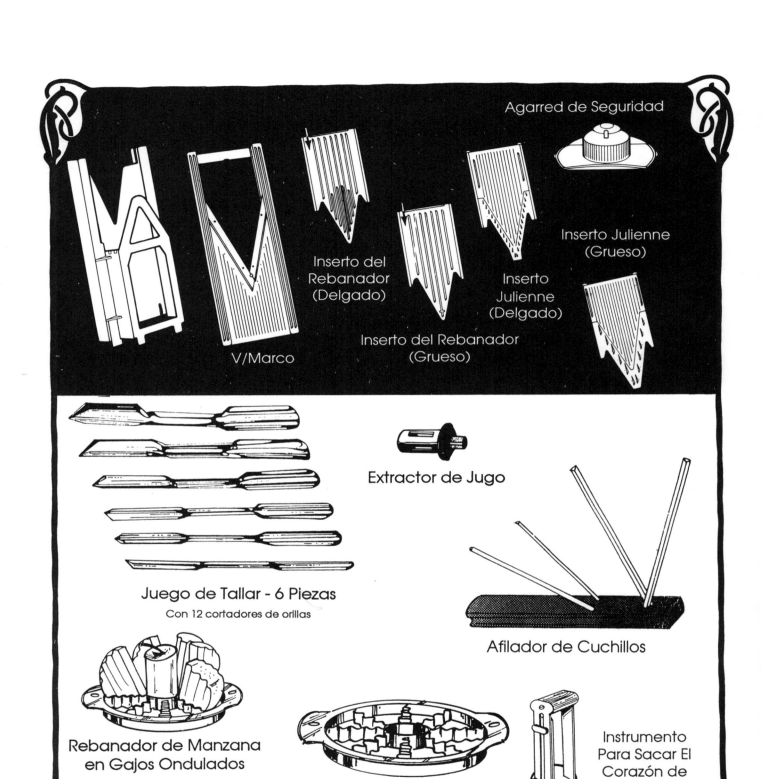

Agarred de Seguridad

Inserto Julienne
(Grueso)

Inserto del
Rebanador
(Delgado)

Inserto
Julienne
(Delgado)

V/Marco

Inserto del Rebanador
(Grueso)

Extractor de Jugo

Juego de Tallar - 6 Piezas

Con 12 cortadores de orillas

Afilador de Cuchillos

Rebanador de Manzana
en Gajos Ondulados

Instrumento
Para Sacar El
Corazón de
Manzana

Pelador / Decorador

Decorador - "V"

Este utensilio hace cortes en "V" - pequeñas o grandes - eso depende en la profundidad del corte al melón.

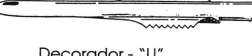

Decorador - "U"

Según la profundidad del corte, puede controlar un corte singular o triple con este utensilio.

Bolitas de Melón

Este utensilio corta bolitas de 1 a 3 centímetros de diámetro.

Utensilio para Dibujar

Con este utensilio puede dibujar su patrón en la corteza antes de cortar o puede perforar un esténcil como guía para su tallado.

Cortadores de Diseños / Dibujos

Estos Cortadores de acero inoxidable son únicos y deben durar muchos años.

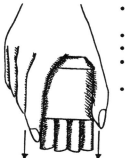

- Agarre el cortador y póngalo en ángulo a la vegetal y corte hacia adentro para formar el diseño
- Corte una rebanada del lado donde cortó el diseño
- Cuidadosamente saque el diseño de la rebanada
- Si quiere crear un diseño incrustado, use vegetals con colores de contraste.
- Para preservar y dar brillo cubra la decoración con gelatina clara.

Dragón

Fénix

Doble Moneda

Buena Fortuna

Ganso

Gallina

Venado

Moneda

Cabra

Pájaro

Conejo

Flor

Vaca

Doble Felicidad

Pescado

Hoja de Maple

Símbolo de Salud

Mariposa

Caballo

Langosta

Cangrejo

Ave de Manzana

Esta decoración es de lo mas bello.

Para mejor resultado escoja una manzana redonda y sin manchas.

Recomiendo un cuchillo de sierra para cortar. Corte una tercera parte de la manzana por un lado para hacer una base plana. Ponga la manzana sobre la base con el tallo hacia usted.

Comenzando por la parte superior haga un corte en forma "V". Continúe cortando estas "V's" haciendo cada una mas grande que la anterior. Haga estos cortes en los tres lados.

Si se rompe un pedazo, no se preocupe. No se notará.

Comenzando con el pedazo más grande, jale este hacia atrás poniendo los demás cortes encima. Los jugos de la manzana unen todas las partes.

Para formar el cuello y la cabeza, corte un pedazo del medio de la rebanada que cortamos para formar la base. Corte una "V" en frente. Deje parte de la pulpa donde cortó la "V" pero deslice la pulpa un poco en la curva.

Para los ojos, puede usar clavos dulces, pimienta o semillas de manzana.

Meta un palillo en ángulo al cuerpo de la manzana y clave en él la cabeza y el cuello cuidadosamente.

Para evitar que se ponga oscura ponga un poco de jugo de limón a toda la manzana.

Use una papa como base, inserte dos palillos en la parte alta y cúbrala con lechuga.

Clave el ave en posición de vuelo sobre la base.

Copa de Manzana

En un instante se convierte en un recipiente único.

Corte una rebanada de la parte posterior de una manzana grande y dura para formar la base.

Usando el utensilio ondulado recorte la manzana.

Corte una rebanada de la parte superior de la manzana para formar la tapa.

Ahuéque la manzana y rellénela con puré de manzana o mermelada.

Vea Foto Página 42

Flor de Repollo Rojo

Esta bella y atractiva decoración será tema de
conversación de sus invitados.

Haga un corte hacia el centro del
repollo y corte desde arriba hacia
abajo antes de llegar a la raíz.

Continúe con estos cortes alrededor del repollo.

Separe las hojas y abra la flor.

Vea Foto Página 47

Botana de Canapés

Siempre Ganará Con Estas Barajas.

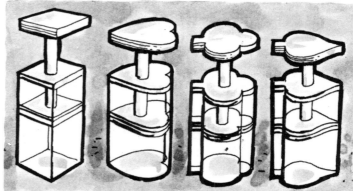

Los sandwiches pequeños se hacen en forma de diamante, trébol, de corazones rojos y negros cuando usa sus cortadores de canapés.

Ponga un surtido de carnes frías, quesos y panes sobre su mesa de trabajo.

Oprima el cortador sobre éstos. Repita este paso con los quesos y panes, agregándole la carne que usted desee.

Cuando se llene el cortador, meta un palillo en medio del sandwich y empuje de nuevo para sacar el canapé.

Vea Foto Página 39

Crisantemos de Zanahoria

Esta decoración también se puede hacer con nabos.

Corte varias rebanadas ligeras de una zanahoria gruesa y grande o de un nabo.

Corte las rebanadas en forma rectangular. Debe haber un espacio de 1/2 cm. entre los cortes. Deje centímetro y medio de cada borde.

Remójelas en agua salada hasta que estén flexibles. Doble cada rebanada a lo largo y enróllelas. Amarre la base con una liga o con cinta adhesiva. Meta las rebanadas en agua fría.

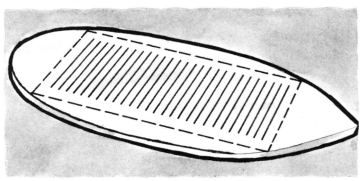

Los pétalos pueden quedarse rizados o los puede cortar dándoles la forma que Usted guste.

Rizos de Zanahoria

Las zanahorias rizadas añaden color a sus platos y ensaladas.

Escoja una zanahoria de tamaño mediano que se encuentre a temperatura ambiente.

Use un pelador de vegetales o un cuchillo muy afilado para obtener rebanadas largas y delgadas.

Enrolle cada rebanada y asegúrela con un palillo.

Métalas al agua fría.

Quite el palillo antes de usarlas.

Vea Foto Página 46

Uvas Azucaradas

En un recipiente pequeño se bate la clara de un huevo hasta que esponje bien. Remoje en la espuma una cantidad de uvas. Sacuda el exceso y espolvoree con una mezcla de polvo de canela y azúcar. Ponga las uvas sobre papel encerado y métalas en el refrigerador durante la noche.

Vea Foto Página 43

Flores de Zanahoria

Esta flor también se puede hacer con pepinos, remolachas (betabeles), nabos y papas (Las papas se fríen en aceite muy caliente.).

Recorte las puntas de la zanahoria. Use su utensilio ondulado para rayarla exteriormente.

Corte las rebanadas al grosor preferido.

Estas flores se pueden usar como decoración en sus ensaladas o las puede cocinar.

Variación de Flor de Zanahoria

Pele una zanahoria grande y haga tres cortes en diagonal hacia el centro. (Cuidado -No haga cortes completos.)

Cuidadosamente saque la flor.

Repita estos cortes para conseguir mas flores.

Puede colocar una aceituna en el centro para completar su decoración.

Nudos de Zanahoria

Adorne sus platillos de carnes frías con estos nudos.

Corte una zanahoria en tiras largas. Remoje estas tiras en agua salada hasta que se ablanden.

Forme un nudo trenzando las tiras. Estas formaciones se pueden guardar en el refrigerador en agua fría hasta que se vayan a servir.

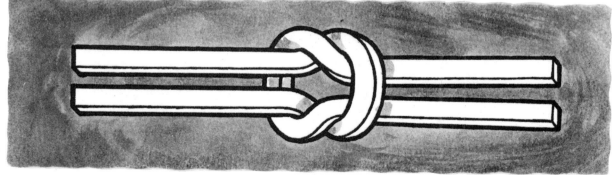

Vea Foto Página 46

Palmeras de Zanahoria

Un adorno tropical para su centro de mesa.

Pele usted una zanahoria gruesa y grande. Recorte las puntas.

Con un cuchillo bien afilado haga unos pequeños cortes.

Comience por la punta mas gruesa y déle vuelta a la zanahoria.

Siga haciendo lo mismo hasta llegar a la punta.

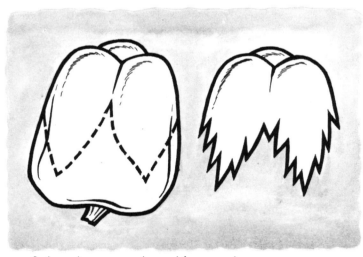

Seleccione un pimentón con tres lóbulos y corte la parte baja de cada uno en forma ovalada.

Vacíe el pimentón. Corte los bordes de los lóbulos en piquitos para formar las hojas.

Coloque un palillo en la punta pequeña de la zanahoria y adjunte el pimentón. Puede usar una papa como base. Simplemente corte una rebanada para formar una base estable y "clave" la zanahoria con unos palillos. Adorne la base de su decoración agregando hojas de lechuga a su alrededor.

Vea Foto en la Portada

Flor de Apio

No tire el tronco del apio - lo usaremos para hacer una linda flor.

Se hace un corte de 7 centímetros del tronco del apio.

Comenzando con los tallos de afuera del tronco, se hacen cortes diagonales para formar los pétalos. Continúe estos cortes hasta llegar al centro.

Separe los pétalos un poco y remoje la flor en agua fría para que los pétalos se abran más.

Recorte la raíz del tronco para formar una base estable.

Puede usar colorante de comida para pintar su flor.

Vea Foto Página 34

Apio Relleno

Algo diferente con nuestra vegetal favorita.

Lave y recorte las puntas de los tallos del apio.

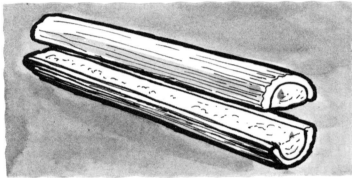

Rellene los tallos con crema de cacahuate, paté o queso crema.

También puede juntar dos tallos para formar un cilindro.

Amárrelos con una liga hasta que se peguen. Refrigérelos hasta que vaya a usarlos.

Antes de servirlos, córtelos en trozos.

Rueditas de Fruta Cítrica

Para mejor resultado escoja una fruta cítrica con la corteza gruesa.

Estas rueditas de naranja, limón o lima se hacen con la punta del decorador de comida (vea página 13).

Con la punta que tiene el "ojo" comience su corte sobre la corteza de arriba hacia abajo. Siga este corte alrededor en la misma forma.

Corte la fruta en rodajas y quite las semillas.

Estas rueditas se pueden usar para decorar las canastas de sandía, bebidas preparadas o un "ponche".

Vea Foto Página 37

27

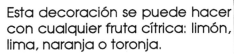

Elefante de Fruta Cítrica

Les fascinará este "elefantito" a sus invitados.

Esta decoración se puede hacer con cualquier fruta cítrica: limón, lima, naranja o toronja.

Para crear la "colita" haga una cortada en "V" justo encima del tallo de la fruta.

Corte una "Y" en el lado opuesto para su trompa. Use un cuchillo para separar la corteza sin cortarla.

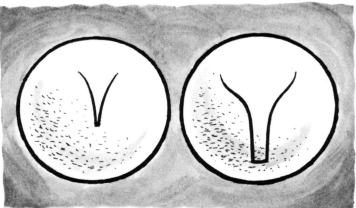

Las orejas del elefante se hacen cortando un círculo de cada lado de la trompa.

Separa la corteza de la fruta, pero no la corte.

Los ojos y las patas se hacen con gomitas o bombones.

Vea Foto Página 42

28

Gajos de Gelatina de Fruta Cítrica

Un postre rico y muy diferente!

Para obtener los mejor resultado, escoja una fruta con corteza bastante gruesa. Corte la fruta a la mitad.

Saque la pulpa sin romper la corteza para formar un casco.

Prepare su gelatina favorita de acuerdo con las instrucciones de la caja. Rellene cada mitad con la gelatina y póngala en el refrigerador hasta que cuaje. Use un cuchillo caliente para cortar los gajos de gelatina.

Vea Foto Página 42

Bandas de Fruta Cítrica
en Forma de Rosa

Esta rosa se puede hacer con cualquier fruta cítrica.

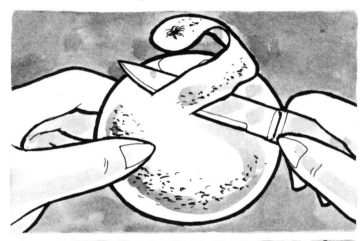

Con un cuchillo afilado pele la fruta. Comience cerca del tallo y pele la corteza 3 cms. de ancho. Limpie la pulpa que tenga la corteza.

Forme la rosa enrollando la corteza y dejando la punta del tallo hacia el final.

Prense la rosa con un palillo.

Vea Foto Página 46

Gusanitos Traviesos

Este gusanito realzará su mesa y hará sonreir a sus invitados.

Corte rodajas delgadas de zanahoria, rábano, tomate (jitomate) o pepino.

Coloque las rebanadas de acuerdo con los tamaños.

Para la cabeza, corte un tomate pequeño a la mitad y use clavo dulce o pedacitos de zanahoria para los ojos y palillos para las antenas.

Vea Foto Página 35

Cangrejo de Pepino

Este cangrejo divertirá a todos sus invitados.

Recorte las puntas del pepino.

Corte el pepino a lo largo por la mitad.

Con un pepino pueden hacerse dos cangrejos.

Haga cuatro cortes delgados y paralelos en cada punta asegurándose de no hacer el corte completo.

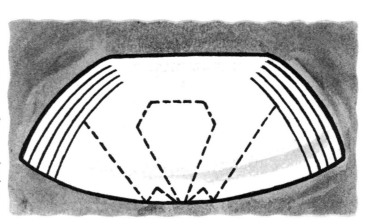

Para formar las patas haga dos cortes, uno de cada lado y corte una sección del centro (vea dibujo).

Haga un corte en "V" en cada pata para formar las garras.

Remoje en agua salada hasta que se ablande. Doble cada segundo corte hacia adentro.

Remójelo en agua fría.

Para los ojos puede usar la cabeza de cerillos de madera.

Vea Foto Página 45

El Cisne de Melón

Ramillete de Colores

Espirales Innovadoras

Canasta Festiva

Agape Vespertino

Flores Exóticas

Amigos del Mar

Feliz Cumpleaños

Un Apetitoso Manjar

Canoa de Camarones

Espiral de Vegetales   Ganso Chistoso

Flor de Cebolla   Cangrejo de Pepino

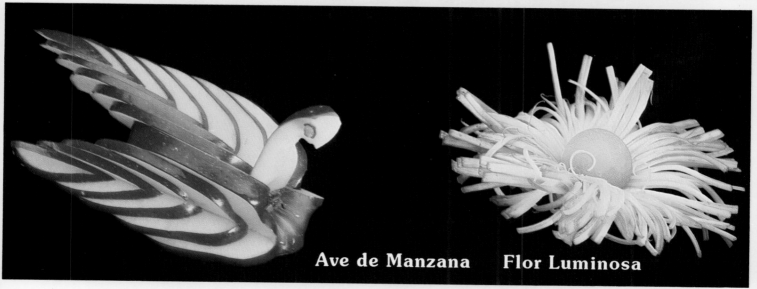

Ave de Manzana   Flor Luminosa

45

Sorpresa Deliciosa

Toque Exótico

Plato de Rosas

Placer Elegante

Un Centro de Mesa Hecho con una Calabaza

Este centro de mesa es muy atractivo y fácil de hacer.

Escoja una calabaza o berenjena de forma uniforme para crear un florero.

Corte una rebanada de arriba y otra de abajo para formar una base estable. Para decorar el florero puede crear una flor hecha de zanahoria, rábano o berenjena. Prense la flor al florero con un palillo. Al palillo le puede agregar un pedacito de zanahoria.

Para crear el follaje y las flores usaremos un cebollín grande. Mida 7 cms. de la punta y haga su corte.

Corte la parte verde del cebollín en ángulo y prénselo al florero con palillos.

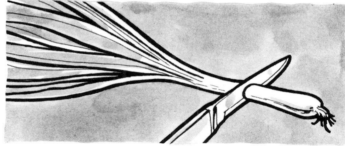

Las flores se crean de la bulba. Mantengan la punta de la raíz intacta.

Haga varios cortes en la bulba. Continúe de esta manera todo alrededor.

Meta un palillo en la punta de la raíz y gire el cebollín para separar los pétalos.

Remójelo en agua tibia con limón para quitar el olor. Después remójelo en agua fría.

Lo puede pintar con colorante de comida.

Gire la flor para quitar el exceso de pintura y prénsela en el florero con palillos.

Vea Foto Página 48

Rosa de Pepino

Diferente, elegante y sabrosa!

Rebane un pepino grande en 5-10 rodajas delgadas.

Es importante ablandar estas rodajas en agua con poca sal por diez minutos.

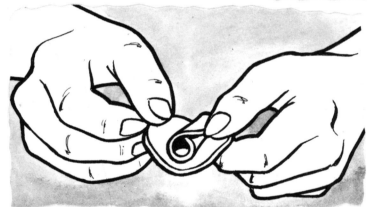

Enrolle la rodaja mas chica.

Enrolle la rodaja que sigue en tamaño alrededor de la primera y continúe de esta manera hasta que la rosa esté llena.

Con dos palillos en la base, prense la flor.

Vea Foto Página 34

Pepino Rayado

Unas cortaditas sencillas transforman un pepino.

Con su utensilio ondulado, raye la corteza del pepino.

Corte en rodajas.

Vea Foto Página 46

Cadenitas de Pepino

Ralle un pepino y córtelo a la mitad. Ahuéque el centro de cada mitad con su cortador de doble espiral para formar un casco tubular. Corte rodajas de 1 cm.

Corte una apertura en cada rodaja y júntelas para formar una cadenita.

Vea Foto Página 46

Tiburón de Pepino

Este tiburón es nuestro amigo cuando lo usamos para decorar la mesa.

Para mejor resultado escoja un pepino de forma curva.

Corte una rebanada de la base del pepino. Esta se usará para las aletas.

La boca se forma haciendo dos cortes.

De cada lado se cortan los bronquios.

Ahuéque dos hoyitos para los ojos.

Detrás de los bronquios, haga dos cortes para meter las aletas de cada lado.

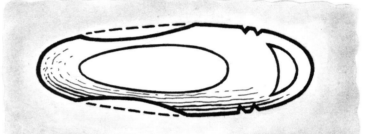

Con la rebanada de la base, forme las aletas cortándola a la mitad en corte diagonal.

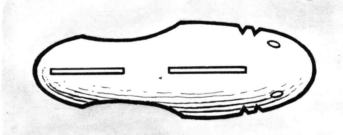

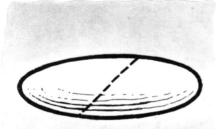

Haga dos cortes en la parte posterior del pepino, uno detrás del otro y meta las aletas.

Haga dos cortes en los lados y meta una aleta en cada corte.

Vea Foto de Portada y página 41

Canoa de Camarones

Que manera de llegar a un puerto!

Primero corte una rebanada del pepino para formar una base estable.
En la parte superior haga una cortada de 3 cms. hacia el frente.

Con mucho cuidado jale la rebanada para que no se quiebre. Meta un palito como mástil a la rebanada y prénsela al pepino para formar su vela.
La banderita se forma de una rebanada triangular de zanahoria.

La rebanada de la parte posterior del pepino se usa para formar la quilla.
Haga un corte en "V" en la parte de atrás del barco y meta la quilla.
Ahuéque el pepino y rellénelo con queso crema, aceitunas o camarones.

Vea Foto Página 44

Escaleras de Pepino

Sus invitados nunca podrán adivinar como hizo esta decoración.

Usando su utensilio ondulado raye una sección de 10 cms. de un pepino. Meta un cuchillo en el centro del pepino.

Usando el utensilio ondulado haga dos cortes encrespados en direcciones opuestas en cada mitad del pepino.

Guarde el pepino en agua fría hasta que esté listo para servir.

Vea Foto Página 34

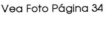

Pepinos Rellenos

Deliciosas rodajas de pepino con relleno!

Corte un pepino grande a la mitad. Trabajaremos con cada mitad.

Si lo desea, puede rayar la corteza del pepino.

Ahuéque el centro del pepino con su cortador de doble espiral.

Meta la punta del cortador insertando la llave en el lado opuesto del mismo.

Con un poco de presión déle vuelta al utensilio, quitando la parte suave del pepino al cortar.

Rellene el casco con una mezcla de salmón, atún o queso crema.

Refrigere hasta que se endurezca un poco y rebánelo.

El casco del pepino también se puede rellenar con una zanahoria y cortar en rodajas.

Vea Foto Página 38

Berenjena en Forma de Margarita

Un placer de crear, divertido de gozar y un centro de mesa precioso.

Haga dos cortes uno arriba y otro abajo para formar la base.

Usando un cuchillo bien afilado, raye la corteza de arriba hacia 2/3 partes de abajo. De esta manera corte ocho secciones.

A cada sección corte las puntas de los pétalos.

Pele la berenjena. Remueva la pulpa del vegetal.

Raye el centro y agréguele un poco de colorante de comida.

Para evitar que se ponga oscura cubra la decoración con una mezcla de jugo de limón con agua.

Huevos Cuadrados

Huevos cocidos con una nueva forma.

Ponga un huevo cocido y tibio en el molde cuadrado.

Tape el molde y atornille la tapa hasta que el huevo cocido esté en forma cuadrada.

Refrigere el molde por 5 - 10 minutos.

Destornille el molde y empuje por la base para quitar el huevo cuadrado.

Ahora agregue unos clavos para formar dados o corte en rebanadas cuadradas.

Son perfectas para sus ensaladas y sus botanas.

Vea Foto Página 39

Bordes Decorativas

Haga bordes decorativos a naranjas, limones, toronjas o melones, y añada un tono festivo a su mesa.

Haga esta decoración usando su cuchillito si es que no tiene un cortador decorador en forma de "V". Inserte la punta del cortador dentro de la fruta.

Corte cada "V" seguida a la siguiente para que puedan ser conectados en forma de cadenita. Déle la vuelta completa a la fruta y separe las dos mitades.

Vea Foto Página 33

Flor de Puerro

Este vegetal común y corriente se transforma en una flor bonita.

Separe la raíz pero no corte la punta de la raíz. Recorte la parte verde del puerro.

Empezando a 2 cms. de la punta de la raíz corte rebanadas paralelas y a lo largo hacia el centro y todo alrededor del vegetal.

Separe los pétalos cuidadosamente con la mano.

Haga una bolita de zanahoria.

Clave un palillo en la punta de la raíz y ajuste la bolita de zanahoria con éste.
Para darle al adorno un toque profesional, moje las orillas de la flor en colorante de comida.

Vea Foto Página 45

Listones de Puerro

Fáciles de hacer y muy llamativos - esta decoración le encantará a sus invitados.

Recorte las raíces y las hojas verdes del puerro.

Empezando a unos 2 cms. de la punta de la raíz, haga cinco cortes iguales hacia el centro del vegetal y alrededor de éste.

Remoje en agua tibia hasta que cada sección se ablande.

Doble la parte de afuera hacia el centro.

Continúe haciendo lo mismo con cada capa de las cinco secciones del vegetal hasta llegar a la más alta. Remójelo en agua fría.

Estos listones también pueden pintarse con colores de alimentos.

Gajos de Limón

Añada atractivo a su comida con este sencillo
adorno de trozos de limón.

Corte un limón en cuatro partes iguales.

Use un cuchillo bien afilado para pelar la corteza a 2 cms.

Enrolle la corteza hacia adentro y prénsela con un palillo.

Vea Foto Página 44

Barquitos de Limón

Corte un limón en cuatro partes iguales.

Prense una tira de zanahoria con dos palillos y clávela al trozo de limón.

Vea Foto Portada del Libro

Cochinito de Limón

Este Cerdito de limón es el perfecto adorno para su plato de pescado!

Para mejor resultado, escoja un limón con una de sus puntas alargadas.

Haga un corte horizontal debajo de la punta para formar la boca.

Formamos las orejas con dos cortes diagonales en forma de círculo de cada lado de la boca. Para formar la colita, use su cortador de zumo y corte un pedazo en forma de rizo, pero no lo separe del limón.

Para crear los ojos, use clavos y para las patitas, use palillos.

Vea Foto Página 42

Canasta de Melón

El utensilio con forma "V" hace que ésta decoración sea fácil de hacer. También puede usar una sandía para hacer su canasta.

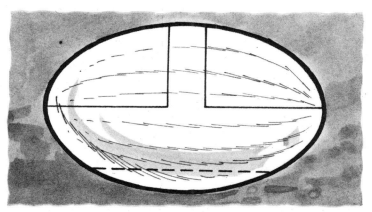

Para mejor resultado escoja un melón ovalado.

Corte una rebanada delgada de la parte de abajo para formar una base estable.

Antes de empezar, dibuje lo que va cortar. Dibuje una línea horizontal alrededor de la mitad del melón.

Luego dibuje dos líneas para hacer la agarradera en la parte alta del melón.

Haga cortes en forma de "X" en las partes de la corteza que va a descartar para evitar que se rompa.

Con el utensilio decorador "V", haga cortes en zig-zag alrededor de los bordes. Inserte la punta del utensilio hasta la mitad del melón, siguiendo las líneas dibujadas anteriormente. Tenga cuidado de no cortar en la parte señalada para la agarradera.

Cuando acabe de cortar, levante las secciones marcadas con "X" cuidadosamente. Use un cuchillo para separar la pulpa de la corteza. Forme bolitas de sandía o de melón para llenar la canasta. También puede usar uvas, trozos de piña, fresas, cerezas y pedazos de melón para llenar la canasta.

La agarradera puede decorarse con rodajas de fruta cítrica y cerezas. Prense éstas rodajas de fruta con palillos para darle un toque profesional.

Vea Foto Página 37

Carriola de Sandía

El centro de mesa ideal para su "baby shower"!

Corte una rebanada delgada de la parte inferior de la sandía para formar una base estable y dibuje su guía.

Para cortar la sección de la manija use un cuchillo bien afilado.

Corte la sección marcada (vea dibujo) y separe la pulpa de la corteza. Con su utensilio decorador "V" haga los cortes alrededor de la sandía.

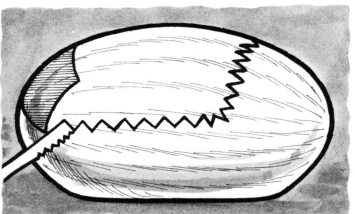

Quite la parte posterior y ahuéque la sandía. Use ésta pulpa para crear las bolitas de sandía.

Ajuste la agarradera, con la corteza volteada hacia arriba y prénsela con palillos.

Asegure las ruedas hechas de rodajas de fruta cítrica a la sandía con palillos.

Llene el casco de la carriola con bolitas de sandía, uvas o ensalada de frutas.

Barco de Sandía

Este centro de mesa convierte su mesa en un "puerto" tropical.

Escoja una sandía alargada para esta decoración.

Corte una rebanada de la parte posterior para estabilizar la sandía.

Use el utensilio decorador "V" como lápiz y dibuje el barco según se ve en el dibujo. Corte en forma de "X" la parte superior de la sandía para evitar que ésta se rompa.

Los cortes en "V" se hacen con su utensilio decorador "V" siguiendo las líneas ya trazadas. Asegúrese que mete el utensilio hacia el centro.

Ahora haga dos cortes, uno de cada lado para formar la parte de enfrente y la otra, la parte posterior del barco. Todos los cortes deben estar conectados.

Si corta a la mitad la parte de la corteza que va a descartar, se le facilitará el quitarla.

Saque la pulpa de la sandía y llene el barco con bolitas de diferentes frutas.

Las velas se hacen al cortar papel en la forma deseada. Prense la vela a la sandía con un palillo largo y grueso.

En la vela, de acuerdo con la ocasión, puede escribir un mensaje como Feliz Cumpleaños, Feliz Aniversario o lo que usted desée.

Cisne de Melón

Decore su mesa con la gracia de este cisne.

El cisne siempre se ve mejor cuando usa un melón redondo.

Corte una rebanada en la parte posterior del melón para hacer la base. Dibuje el cisne de acuerdo a la ilustración.

Use un cuchillo bien afilado para cortar a lo largo de las líneas que forman la cabeza. Tenga cuidado en dejar el pico adentro de las plumas.

Las plumas se pueden cortar con un cuchillo o con su decorador "V"

El ojo es simplemente un hoyito que se forma con el cuchillo.

Corte la parte del melón que va descartar en varias partes para que no se rompa el cisne.

Ahuéque el melón y recorte las plumas quitando un poco de la pulpa para que éstas queden mas finas.

Forme bolitas de melón y rellene el cisne con fresas, uvas, cerezas o fruta mixta.

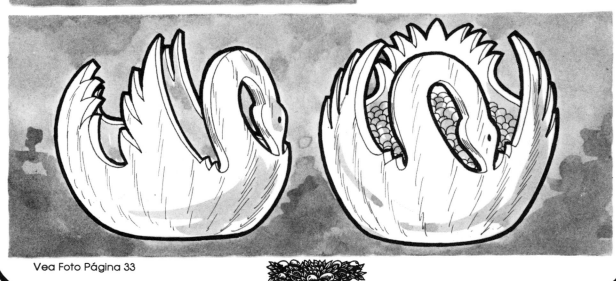

Vea Foto Página 33

Ballena de Sandía

Que ballena mas chistosa y tropical!

Para mejor resultado, trabaje con una sandía alargada.

Corte una rebanada en la parte posterior de la sandía para estabilizarla.

Dibuje la ballena de la manera ilustrada.

Corte una "X" sobre la parte de la corteza que se va a descartar. De esta manera evitamos que se rompa la sandía.

Use el utensilio decorador "V" para hacer los cortes en zig-zag alrededor.

Corte las secciones que forman la cola y la cabeza con un cuchillo bien afilado.

La sección de corteza que se descarta se debe cortar en varios pedazos para facilitar su remoción.

La boca y los ojos se tallan con un cuchillito.

Ahuéque el casco y llénelo con bolitas de melón o fruta mixta.

Vea Foto Página 36

Cebollín Con Aceituna

Como un borde decorativo, rodée su plato con estas flores de cebollín, fáciles de hacer.

Corte una sección de 10 cms. de la cabeza del cebollín y quite la raíz.

Los pétalos se forman haciendo varios cortes delgados. Gire el cebollín para separar los pétalos.

Remoje el cebollín en agua fría por unos 5-10 minutos para rizar las puntas.

Puede pintar el cebollín metiéndolo en colorante de comida.

Corte las dos puntas de una aceituna grande.

Meta la flor de cebollín adentro de la aceituna.

Vea Foto Página 46.

Copa de Cebolla

En unos minutos usted puede convertir
una ordinaria cebolla en una bella copa.

Escoja una cebolla grande y
redonda que no tenga doble tallo.
Puede usar cebolla blanca o roja.

Cebollas Bermuda o Españolas
rojas tienen más color.

Cuando escoja la cebolla asegúrese que no esté suave y que la
corteza esté limpia, seca y no
suelta.

Use el utensilio decorador "V" para
hacer un corte en zig-zag alrededor por el centro de la cebolla.

Remoje las mitades en agua
caliente por unos minutos para
quitarles el olor.

Para separar las capas, corte un
círculo alrededor del corazón de
la cebolla y retírelo con el cuchillo.

Empuje las capas por la cavidad
del centro donde estaba el
corazón. (Vea dibujo)

Cada copa será más y más
pequeña. Se usan estas copas
para servir vegetales cocinados
como arvejas, zanahorias o elotes.

Vea Foto Página 47

Flor de Cebolla Roja

Convierta una cebolla roja en una mágica flor.

Corte tres rebanadas en forma de pétalos en un lado de la cebolla roja.

Separe cada pétalo.

Clave los tres pétalos con un palillo al centro.

Clave una bolita de zanahoria en la punta del palillo.

De ésta manera, puede hacer varias flores.

Flor de Cebolla

Un adorno de cebolla atractivo y diferente.

Seleccione una cebolla grande, larga, ya sea blanca o roja.
Escoja una con un solo tallo.

Use un cuchillo afilado y haga unos cortes hasta la mitad de la cebolla y a 3/4 desde arriba cortando hacia la raíz. Que los cortes sean solamente hasta el centro.

Clave un palillo en la raíz y remoje la cebolla en agua caliente por unos minutos para quitarle el olor. Después, remójela en agua fría para abrir los pétalos.
Si usa una cebolla blanca, la puede colorear con colorante de comida para realzar su apariencia.

Vea Foto Página 40 y 45

Canasta de Naranja

Es divertido el crear esta canastita.

Corte una rebanada en la parte baja de la naranja para formar una base.

Use la punta del ojo del decorador "V", para cortar tiritas de la corteza de la naranja sin desprenderlas. Comience de arriba hacia abajo y todo alrededor.

Corte dos cuñas en la parte alta de la naranja (Vea dibujo).

Ahuéque la naranja quitando la pulpa formando una manija.

Doble las tiritas hacia afuera. (Vea dibujo).

Rellene la naranja con puré de manzana, queso crema o fruta.

Ratoncito de Pera

Una decoración que encantará a niños y mayores.

Corte dos rebanadas a lo largo de un lado de la pera.

Forme las orejas usando la rebanada mas grande.

Haga dos cortes pequeños en la pera para colocar las orejas.

Use unos palillos como bigotes, los ojos son de clavitos y la colita con un limpiador de pipa.

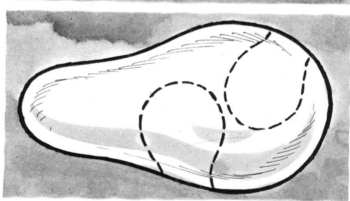

Flor de Pimentón Rojo

Añada un toque de color y delicadeza a su mesa con esta flor de pimentón.

Tomando el pimentón del tallo, haga sus cortes en forma de "V" siguiendo la rebanada hacia el tallo (de arriba hacia abajo - vea dibujo).

Con mucho cuidado, separe la corteza de las semillas. Doble los pétalos hacia afuera.

Remójelo en agua fría por unos cinco minutos.

Nido de Ave Hecho de Papa

Recibirá muchos cumplimientos cuando presente este favorito nido de ave.

Raye o corte en trocitos una papa pelada.

Mezcle 1 cucharada y media de Maizena.

Llene la canasta grande con dos puños de tiritas de papa.

Ponga la canasta pequeña encima de las papas.

Apriete las dos canastas y asegúrelas una contra la otra.
Fría las papas en las canastas con aceite muy caliente hasta que se doren.
Quite el seguro de la manija y saque la canastilla pequeña.
Saque el "nido" con mucho cuidado para que no se rompa.
Use el nido para presentar aves cocinadas o para servir verduras, huevos, pollo, etc.

Vea Foto Página 38

Papa Rellena

Una idea nueva para el vegetal favorito.

Use el cortador de doble espiral para ahuecar el centro de la papa. Inserte la punta del cortador en uno de los extremos de la papa.

Coloque la llave de la herramienta al otro lado y con un poco de presión, empújelo dándole vueltas hasta que los anillos empiecen a salir por el otro extremo.

Retire la llave y jale el mango hacia el frente. No podrá retirarlo en sentido contrario.

Remueva los espirales del centro dándoles una vuelta primero. Rellene la papa con queso, carne picada, salchicha u otras comidas.

Envuelva la papa en papel transparente para cocinarla en el horno de micro-ondas, ó en papel de aluminio si las va cocinar en el horno.

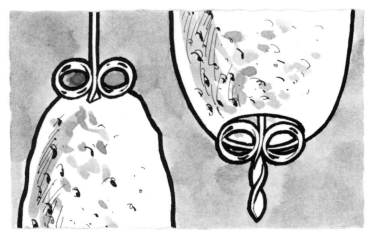

Receta Para Rellenar la Papa

4 papas tamaño mediano

1 huevo

1 sobre de sopa de cebolla

1/2 kilo de carne molida

3 cucharadas de salsa de barbecue

Cueza la papa hueca por 10 minutos en el micro-ondas (en alto) o 45 minutos al horno a 175 grados centígrados.

Apártelas mientras prepara el relleno siguiente:

Bata el huevo con un tenedor, agregue la sopa de cebolla y mezclelo bien. Agregue la carne molida y la salsa de barbecue a la mezcla de huevo con la sopa. Llene las papas horneadas y vuélvalas a meter al micro-ondas por 5-8 minutos o al horno por 15 minutos.

Flores de Rábano

Las flores de rábano harán de sus comidas algo especial.

Empiece las cortaditas (pétalos) desde el tallo hacia arriba. Las cortaditas deben ser a lo diagonal y solamente a la mitad del rábano.

Siga de esta manera hasta llegar a la parte superior, entonces empiece de nuevo del otro lado del tallo y corte hacia arriba hasta llegar a la parte superior.

Remoje el rábano en agua fría para abrir los pétalos y clave un palillo en el tallo.

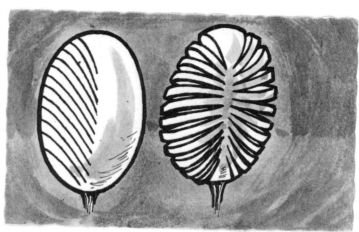

Estrella Hecha de Rábano

Con un cuchillo bien afilado, haga un corte en forma de "V" en la parte superior del rábano.
Sobre el mismo corte haga dos cortes más en forma de "V" para formar una estrella. Los pétalos se hacen con cortes en diagonal por los lados. Remójelo en agua fría.

Vea Foto Página 46

Flores Creadas con Rábano

Unas cortaditas sencillas transforman un
rábano en una bella flor.

Corte una rebanada en la parte
superior de un rábano grande.

Haga cortes en diagonal en el
rábano para formar los pétalos.

Jale la corteza de arriba y de los
lados.

Remoje la flor en agua fría para
separar los pétalos.

Rosa de Rábano

Con la parte del ojo del decorador
"V" forme los pétalos del rábano.

La raíz debe ir hacia arriba.

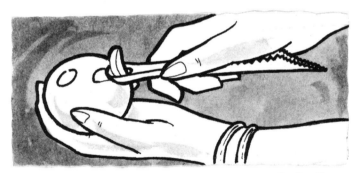

Corte la corteza de arriba hacia
abajo. No llegue completamente
hasta abajo. Repita lo mismo
alrededor del rábano.

Remoje en agua fría para abrir los
pétalos.

Vea Foto Página 46

Hongos de Rábano

¿Son rábanos o son hongos?

Corte alrededor del rábano en el centro teniendo cuidado de no cortarlo totalmente.

La parte superior será la gorra del hongo.

Forme la parte posterior del rábano para formar un tallo cilíndrico.

Puede hacer las manchas blancas del hongo cortando un poco de la corteza con la punta de su cuchillito.

Vea Foto Página 46

Crisantemo de Rábano

Corte y quite la raíz y el tallo del rábano.

Con un cuchillo empiece a cortar en forma vertical hasta llegar a la punta del tallo.

Haga una segunda fila de cortes perpendiculares a los anteriores cortes.

Remójelo en agua fría para abrir los pétalos.

Vea Foto Página 46

Hélice de Rábano

Un adorno que añade atractivo a una comida.

Tomando la parte de la raíz hacia abajo, haga un corte diagonal en la parte alta y corte hacia abajo y al lado en forma de curva (vea dibujo).

Haga un corte de 3/4 hacia la parte baja.

Repita este proceso dos veces mas hasta que tenga tres tiras y dé apariencia de una hélice.

Vea Foto Página 46

Abanico de Rábano

Escoja un rábano ovalado y haga unos cortes verticales hacia abajo hasta llegar casi al final (vea dibujo).

Es mas fácil empezando de la mitad hacia las orillas.

Remoje la decoración en agua fría para abrir el abanico.

Vea Foto Página 46

Canasta de Calabaza

Que preciosa canastita para su mesa.

Corte una rebanada en la parte baja de la calabaza para formar una base estable. Corte el tallo.

Para formar la manija comience dos cortes de aproximadamente 3 cms. desde arriba hacia la parte de abajo del guaje (vea dibujo).

Corte a la mitad y quite las dos secciones de en medio. Usando un cuchillito recorte la pulpa de la manija.

Ahuéque la pulpa del resto de la calabaza.

Llene su canastita con palitos de pan, tiras de zanahorias o pepino.

Vea Foto Página 47

El Gansito Chistoso

Una decoración simpática para cualquier ocasión.

Escoja una calabaza amarilla que tenga un poco de curva en el cuello. Corte una rebanada en la parte baja de la calabaza para crear una base estable. También corte el tallo de la otra punta. Corte una rebanada de cada lado. Use las dos rebanadas para hacer las alas.

Prense las alas al cuerpo con palillos.

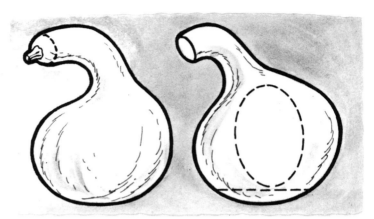

Para formar el piquito, corte la punta de una zanahoria.
Con el cuchillito corte la zanahoria para abrir la boca.
Clave la zanahoria al cuello de la calabaza con un palillo.

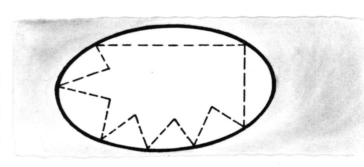

Corte una rebanada de zanahoria para formar las patitas.

Use dos clavos para formar los ojos. Puede usar diferentes tamaños de calabaza, para formar un desfile.

Vea Foto Página 42

Conejito de Nabo

Que brinquitos darán sus invitados al ver este conejito simpático.

Escoja dos nabos, uno mas grande que el otro y córtelos en forma ovalada.

Corte una rebanada en la parte baja, la actual le servirá para las orejas.

Haga un corte en el frente e inserte en él las orejas.

Inserte clavos para formar los ojos.

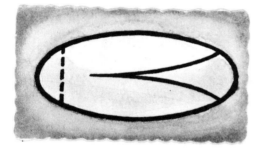

Usando una sección del nabo pequeño, forme la colita haciendo una serie de cortes verticales. Déle vuelta al nabo haciendo estos cortes.

Remójelo en agua fría para que se rize la colita y clávela al nabo con un palillo.

Vea Foto Página 42

Mariposa de Tomate

Un simple tomate se convierte en una decoración muy bella.

Con el tallo hacia abajo, corte una rodaja del centro de un tomate duro.

Corte esta rodaja a la mitad y recorte 2/3 partes de la pulpa de la corteza.

Use estas para formar las alas y antenas.

Con cada una de las secciones restante, haga tres cortes.

Haga un corte en el centro de las rebanadas y extienda estas rebanadas sobre las alas y antenas (vea dibujo).

Vea Foto Página 43

Rosita de Tomate

Estas rositas hacen de cualquier comida una ocasión especial.

Escoja un tomate de consistencia dura para esta decoración.

Haga seis rayas iguales sobre la corteza.

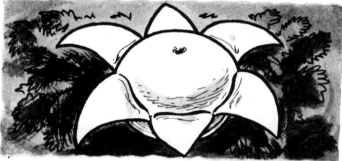

Pele la corteza separándola de la pulpa - de arriba hacia abajo.

Doble la corteza para formar los pétalos.

Vea Foto Página 46

Flor de Tomate

Con el tallo hacia abajo, corte un tomate en cuatro partes iguales. En cada sección haga dos cortes para formar un pétalo.
Pele la corteza del pétalo mas grande a aproximadamente 3/4 de arriba hacia abajo.

Cuidadosamente doble la corteza para formar los pétalos. No toque el pétalo pequeño.

Cada sección del tomate se puede usar individualmente o los puede juntar con palillos para formar una flor.

Tiritas de Tomate en Forma de Rosa

Alegre su mesa con estos adornos de tomate fáciles de hacer.

Con un cuchillo afilado pele la corteza de un tomate de duro.

Comience en la parte posterior continue hacia abajo formando una tirita.

Corte la tirita retirando lo mas posible de la pulpa.

Para formar la rosa, enrolle la tirita con la punta del tallo hacia afuera.
Sujete la rosa con un palillo.

Vea Foto Página 34

Sorpresa de Tomate

Escoja un tomate grande y duro para esta decoración.
Use su decorador "V" para formar un corte en zig-zag alrededor del tomate.
Remueva la parte alta del tomate y ahuéquelo para formar un casco.

Rellene el casco con atún, ensalada de huevo o de pollo, queso cottage, zanahorias o chícharos. Complete esta decoración con una rosita de rábano, o con una aceituna.

Vea Foto Páginas 43 y 46

Alitas de Tomate

Este adorno puede hacerse con un pepino,
una manzana grande o cualquier fruta cítrica.

Corte la parte del tallo de un tomate de consistencia dura y grande.

Usando un cuchillo corte una cuña en "V" empezando en la parte superior del tomate.

Siga haciendo estos cortes cada uno más largo que el otro.

La cantidad de "V" depende del tamaño del tomate.

Separe 2/3 partes de la corteza en las últimas dos secciones y dóblelas hacia atrás.

Deslice las secciones hacia afuera, abanicándolas para formar la sección central.

Vea Foto Página 43

Mariposa De Vegetal

Una delicada mariposa que añade un toque elegante a su mesa.

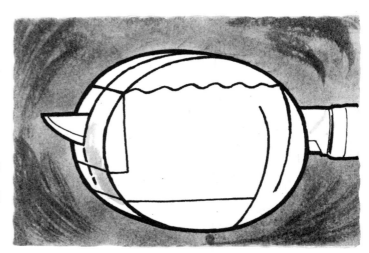

Corte una rebanada de 2 cms. de ancho de un nabo, betabel o zanahoria.
Haga un corte de 3/4 en ésta en el centro de la rebanada.

Use un cortador ondulado para hacer los bordes en la parte alta. Haga los cortes como ve en el dibujo.

Remoje en agua salada para ablandar.

Separe las alas y meta la sección de enfrente entre las alas.

Remoje en agua fría.

Remoje la mariposa en colorante de comida para dar más vistosidad a la mariposa. Para sostener la mariposa, use un palillo.

Vea Foto Página 33 y 40

Doble Espiral de Vegetales

Esta decoración se hace fácilmente con su cortador de doble espiral.

Para obtener los mejor resultado use vegetales grandes y trabaje a temperatura ambiente.

Recuerde, los vegetales fríos se rompen facilmente!

Ponga el cortador en una de las puntas del vegetal y métalo hasta el centro con un poco de presión. Coloque la llave en el mango.

Cuando use rábanos o nabos, escoja los que son aplastados y anchos. Meta el cortador por uno de los lados, no por la punta de la raíz.

Con un poco de presión déle vuelta al cortador. Continúe de esta manera hasta que Comiencen a salir los anillos por el otro lado. Quite la llave y retire el mango por enfrente.

Para sacar los espirales déles vuelta sin jalarlos.

Estos espirales se usarán uniéndolos con otros espirales de otros vegetales, combinando los colores. Los vegetales ahuecadas se pueden rellenar.

Para separar las dos espirales, déle una vuelta en direcciones opuestas. Usted puede mezclar espirales de remolacha (betabel), zanahoria, nabo y papa.

Los de remolacha (betabel), nabo y zanahoria se cocinan a fuego lento en agua salada por unos 8 - 10 minutos.

Vea Foto Página 35 y 45

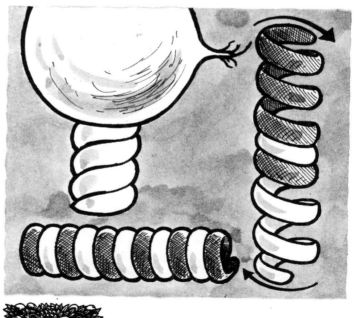

Rosa Tallada

Escoja un nabo, remolacha (betabel), zanahoria, papa o cualquier vegetal con corazón duro para hacer esta decoración.

Con la punta de la raíz hacia abajo, haga cuatro cortes en diagonal alrededor del vegetal sin desprenderlos (vea dibujo).

Corte un círculo alrededor del centro por detrás de los pétalos y remueva el anillo. Esto forma la primera fila de los pétalos.

Para hacer mas pétalos, simplemente repita los cortes haciéndolos en diagonal entre los cortes de pétalos anteriores para darle un efecto floral.

La cantidad de filas de pétalos depende en el tamaño del vegetal.

Remoje las rosas en agua fría para abrir los pétalos un poco mas.

Las rosas de papa se pueden freír u hornear.

Estas rosas se pueden hacer de antemano y guardarlas en agua fría en el refrigerador.

Vea Foto Página 47

Cadenitas de Vegetal

Esta decoración se puede hacer usando papas, remolachas (betabeles), nabos o camotes.

De un vegetal grande, corte una rebanada de 2 cms. de ancho.

Corte los lados del vegetal para formar un cuadro.

Use un cuchillo bien afilado para hacer unos cortes paralelos dentro del cuadro y deje un borde a 1/4 de cm. de ancho.

Con la hoja del cuchillo abra los cortes alternativamente. Si es un poco difícil de abrir, remoje el vegetal en agua tibia para ablandar.

Recuerde, los vegetales fríos se rompen.

Deslice el cuchillo hacia las esquinas y corte a través de éstas cuidando que no corte los eslabones.

Déle vuelta al vegetal y meta la hoja del cuchillo entre las cortes en la dirección opuesta.

Deslice el cuchillo hacia las esquinas y haga su corte.

Separe las dos secciones.

Corte cada sección a la mitad por el centro de cada eslabón.

Recorte cada eslabón hasta que estén perfectos.

Tenga cuidado de no cortar las barras.

Redondée las esquinas con cortes angulares.

Cuidadosamente jale y separe los eslabones de la cadenita.

Remoje el vegetal ligeramente en agua salada por 5 minutos.

Las cadenitas de papa se pueden freír en aceite muy caliente.

Vea Foto Página 35

Corte Encrespado

Usando el utensilio adecuado, esto produce un vegetal extraordinario.

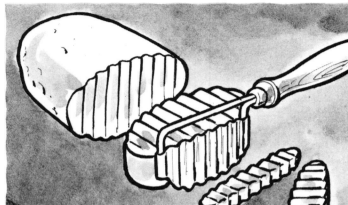

Use su utensilio ondulado para corrugar palitos de zanahorias o hacer papas a la francesa.

Corte de Oblea

El corte estilo oblea se hace cortando un vegetal con el utensilio ondulado, primero en un sentido y luego en el otro.

Las rebanadas deben ser lo mas delgado posible.

Corte Ondulado

EL utensilio ondulado se puede usar para crear orillas onduladas en los vegetales.

Sostenga el vegetal verticalmente. Corte la corteza con el utensilio ondulado.

Usted puede usar zanahorias, betabeles, papas, pepino o nabos para crear estas rodajas onduladas.

Vea Foto Página 46

Hojas de Vegetal

Vegetales como zanahorias, nabos, pepinos, remolachas (betabeles), se convierten en hojas decorativas para su mesa.

Corte rebanadas largas y delgadas. Use su cuchillito para darle forma de hoja a los bordes.

Coloque tres o cuatro hojas juntas para añadir un toque al adorno de flores.

Vea Foto Página 34

Pepino en forma de Margarita

Corte una sección de 4 cms. de un pepino que aún no esté pelado. Ahuéque el centro para formar una copa.

Con su cuchillo corte los bordes en forma de pétalos.

Forme una base estable cortando una rebanada de la parte de abajo de esta sección.

Remoje el pepino en agua fría por 10 minutos para abrir los pétalos. Rellene la copa del pepino con aceitunas, tomatitos, salsa o cualquier botana que desée.

Espirales de Vegetales

Este adorno puede hacerse usando remolachas (betabeles), nabos, zanahorias o papas.

Asegúrese que los vegetales que va a usar, estén a temperatura ambiente para evitar que se rompan.

Use un cuchillito o utensilio ondulado para cortar el vegetal en forma cilíndrica.

Inserte el atornillador en el centro del vegetal por la parte alta.

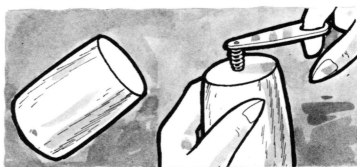

Gire con el dedo el utensilio, dando vueltas lentas hacia la derecha.

Deje que el mismo cuchillo trabaje y vaya saliendo la espiral.

Sujete las dos puntas de la espiral con un palillo.

El espiral de papas se puede freír.

Rueditas de Papa

Estas rueditas y papas fritas se pueden hacer de las espirales descritas arriba, haciendo con un cuchillo un corte de arriba hacia abajo, comenzando por el centro de la rueda (vea dibujo).

Separe las ruedas y fríalas hasta que estén bien doraditas.

Vea Foto Página 35

Ramitas de Vegetal

Decorativo adorno fácil de hacer con apio, zanahoria o pepinos.

Corte una sección del vegetal en forma rectangular.

Haga dos cortes a lo largo, uno de cada lado sin cortar totalmente la pieza.

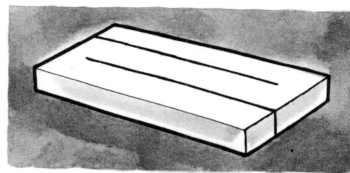

Remoje en agua salada para ablandar. Encime las puntas de afuera sobre el centro.

Abanico de Pepino

Para mejor resultado use un pepino grande y sin pelar.
Corte 1 1/2 cms. de la punta.

Corte el pepino por la mitad, a lo largo.

Haga unos cortes paralelos hasta 2 cms. de la punta.

Remoje el pepino en agua salada hasta que se ablande lo suficiente para poder doblarlo sin que se rompa.

Doble cada segunda rebanada hacia el centro para formar la decoración que se ve en el dibujo.

Vea Foto Página 46

Ballena de Zucchini

Que buenos comentarios le va a traer esta simpática ballena en su mesa.

Para mejor resultado consiga un zucchini largo y un poco curvo. Corte una rebanada de 1/2 cm. de la parte posterior del zucchini. Esta rebanada la usaremos para la colita.

Haga un corte en la parte del frente para la boca. Ahuéque dos hoyitos uno de cada lado para formar los ojos. También ahuéque un hoyo en la parte superior para el chorrito de agua. Haga un corte en la parte de atrás del zucchini.

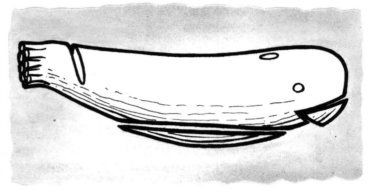

Secciones de la colita

Con la rebanada cortada haga la cola según dibujo. Coloque las dos partes en el corte para la colita.

Escoja un cebollín para hacer el chorrito de agua.

Corte la raíz y el tallo del cebollín.

Empiece los cortes desde la punta de la raíz y corte alrededor de la misma manera.

Gire el cebollín para separar los pétalos.

Coloque el cebollín en el corte de arriba del zucchini para formar el chorrito de agua.

Vea Foto Página 41